L'énergie
par le yoga

L'énergie
par le yoga

Alistair Livingstone

SOLAR

Titre original de cet ouvrage
YOGA FOR ENERGY

© 2000, Alistair Livingstone pour le texte
© 2000, Duncan Baird pour l'édition originale
© 2001, Éditions Solar, Paris, pour la version française

Traduction
Véronique Cebal
Adaptation et réalisation de la version française
ACCORD, Toulouse
Photographie de couverture
Matthew Ward

ISBN : 2-263-03061-1
Code éditeur : SO3061
Dépôt légal : janvier 2001
Impression et reliure : Pollina s.a., 85400 Luçon _n° L82139D

Note de l'éditeur
Avant de suivre les conseils et de faire les exercices de yoga présentés
dans cet ouvrage, il est recommandé de demander l'avis d'un médecin,
surtout si vous avez des problèmes de santé. L'éditeur, l'auteur,
le photographe et la traductrice ne peuvent pas être tenus responsables
des blessures ou dommages causés par la pratique des exercices proposés
ou des méthodes thérapeutiques suggérées ou décrites dans cet ouvrage.

Si vous souhaitez recevoir notre catalogue
et être tenu au courant de nos publications,
envoyez-nous vos nom et adresse en citant ce livre
et en précisant les domaines qui vous intéressent.

Éditions SOLAR
12, avenue d'Italie,
75013 Paris

Internet : www.solar.tm.fr

Sommaire

Avant-propos

Beaucoup de gens pratiquent aujourd'hui une forme

ou une autre de yoga. Cette très ancienne technique

orientale est de plus en plus fréquemment reconnue comme

un moyen d'améliorer son physique, de conserver

la forme et de prévenir, voire de traiter certains

problèmes de santé. Pour commencer, l'idéal est

de suivre les cours dispensés par un professeur

expérimenté qui vous fera aborder progressivement

les postures classiques en adaptant les exercices

en fonction de votre morphologie et de vos besoins personnels.

Dans les pages qui suivent, vous trouverez des exercices simples que vous pourrez faire seul, sans l'aide d'un professeur, aussi bien à la maison qu'au travail. Ces postures et ces exercices de respiration et de relaxation vous aideront à apaiser votre esprit, à redonner de la vitalité à votre corps et à « recharger vos batteries ». Bon nombre de postures et exercices ont été adaptés de manière à être à la portée des débutants.

Bon yoga... *Hari om tat sat*

« Le yoga permet de diriger et de focaliser son activité mentale sans se laisser distraire. » *Yoga-Sutra de Patanjali* (1 : 2)

« Le yoga est tout sauf un ancien mythe enfoui dans l'oubli. C'est l'héritage le plus précieux du passé. C'est le besoin fondamental du présent et la culture de l'avenir. »
Swami Satyananda Saraswati

chapitre premier

Qu'est-ce que le yoga ?

Le yoga est un moyen d'unir l'esprit, le corps et l'âme ouvrant la voie à une vie plus saine et plus satisfaisante.

Les premiers témoignages archéologiques de l'existence du yoga remontent à 3000 av. J.-C. Il s'agit de statues de divinités représentées dans des postures de yoga, retrouvées dans la vallée de l'Indus. La philosophie du yoga est, elle, décrite dans des textes comme le *Yoga-Sutra de Patanjali* datant du IIIe siècle av. J.-C.

Le mot sanscrit pour yoga est *yuj*, qui signifie « jonction » ou « union ». Sur le plan spirituel, cela implique une communion de la conscience individuelle et de la conscience universelle.

Les étapes du yoga

postures, respiration et méditation

Le yoga comporte plusieurs étapes. Les quatre principales sont : le Karma Yoga (yoga de l'action), le Bhakti Yoga (yoga de la dévotion), le Jnana Yoga (yoga de la connaissance) et le Raja Yoga. Cette quatrième et dernière forme de yoga, souvent appelée la « voie royale », peut être considérée comme la maîtrise de l'esprit et du corps en vue de libérer leur nature supérieure. Le Hatha Yoga, largement répandu en Occident, est une subdivision du Raja Yoga. Il comprend des postures (*asana*), mais aussi des exercices de respiration (*pranayama*), de méditation (*dhyana*) et de purification (*shatkarmas*).

Les différentes postures et techniques de respiration à la base du Hatha Yoga moderne sont contenues dans les textes classiques des VIIIe et IXe siècles, regroupés sous le titre *Hatha Yoga Pradipika*.

Les *asanas* ou postures assouplissent et tonifient les articulations et les muscles, tout en agissant sur les organes et sur le système nerveux.

Les exercices respiratoires de *pranayama* calment l'esprit et stimulent l'être tout entier. La relaxation et la *dhyana* ou méditation améliorent la capacité de concentration et la clarté intellectuelle. Il faut bénéficier de l'enseignement d'un professeur pour pratiquer les *shatkarmas* ou *kriyas*, exercices de purification.

La pratique régulière du yoga aide à retrouver équilibre et harmonie, à éliminer les toxines et à libérer d'immenses réserves d'énergie inexploitées.

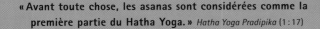

« Avant toute chose, les asanas sont considérées comme la première partie du Hatha Yoga. » *Hatha Yoga Pradipika* (1 : 17)

Le corps subtil

La médecine occidentale considère le corps comme un ensemble de parties que l'on peut soigner isolément les unes des autres. D'autres traditions ont une conception plus globale et reconnaissent l'existence d'une énergie interne, l'« énergie vitale » ou « force vitale ». Dans l'enseignement du yoga, cette énergie s'appelle le *prana.* La maladie est la conséquence d'une rupture de l'équilibre du *prana.* Dans la tradition du yoga, le corps est composé d'un système de chakras (centres d'énergie) et de *nadis* (canaux) qui engendrent et régulent le *prana.* Il y a sept chakras sur la ligne médiane du corps et de nombreux *nadis* au travers desquels circule le *prana.*

« L'élimination des impuretés permet au corps de fonctionner plus efficacement. » *Yoga-Sutra de Patanjali* (2 : 43)

Bien qu'ils ne soient pas visibles, les chakras ont un lien avec les principaux organes du corps. Ils sont positionnés le long de la colonne vertébrale. Appelés par de nombreux guérisseurs les « roues de l'énergie », ils sont souvent associés à des sons et à des couleurs. Les chakras sont reliés par les trois *nadis* principaux : *ida*, qui passe par la narine gauche ; *pingala*, qui passe par la narine droite ; et *sushumna* qui passe au centre de la colonne vertébrale. Les *asanas* et les exercices de *pranayama* permettent de réguler le flux du *prana*. Se concentrer sur certains chakras pendant les *asanas* peut renforcer les bienfaits d'une posture.

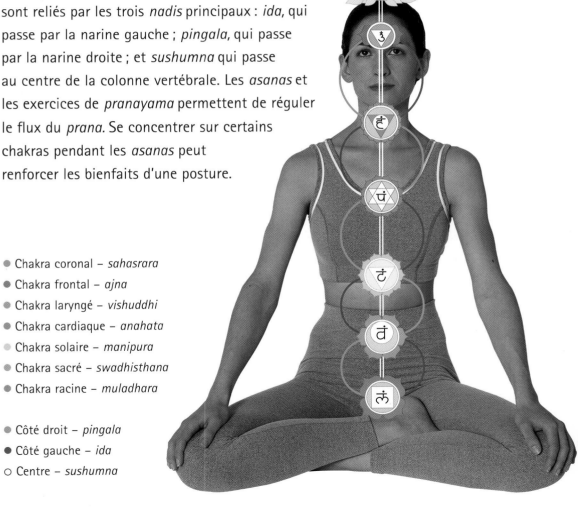

● Chakra coronal – *sahasrara*
● Chakra frontal – *ajna*
● Chakra laryngé – *vishuddhi*
● Chakra cardiaque – *anahata*
● Chakra solaire – *manipura*
● Chakra sacré – *swadhisthana*
● Chakra racine – *muladhara*

● Côté droit – *pingala*
● Côté gauche – *ida*
○ Centre – *sushumna*

La paix intérieure

Si un minimum de tension se révèle utile, nous y ajoutons très souvent un stress supplémentaire, en affrontant embouteillages et moyens de transport surchargés pour aller et revenir du travail, en portant des sacs ou des paquets trop lourds, en maltraitant notre corps par des mouvements rapides et des mauvaises positions, et en restant trop longtemps assis, que ce soit devant un ordinateur ou devant la télévision. Tout cela épuise notre énergie. S'il est impossible d'éliminer totalement le stress, il est en revanche possible d'apprendre à le gérer. L'un des principaux objectifs du yoga est de permettre de trouver à l'intérieur de soi un lieu de paix spirituelle. Les postures et la maîtrise de la respiration sont les étapes essentielles pour y parvenir.

Prendre la décision de faire du yoga trahit souvent la volonté d'apporter un changement à sa vie : améliorer sa santé, se sentir plus positif, avoir les idées plus claires, trouver la sérénité ou renforcer sa vitalité. Ce besoin de changement vient du plus profond de nous, d'un lieu qui aspire à la quiétude, la plénitude et la délivrance des jugements et des reproches. En sanscrit, ce lieu spirituel s'appelle *purusa.*

Le yoga ne vise pas l'impossible ; il ne s'agit pas de prendre des postures complexes sans y être parfaitement préparé, mais plutôt d'acquérir, à l'intérieur de ses propres limites, une pratique personnelle qui permette d'entrer en contact avec son flux énergétique interne et de développer la conscience de soi. En apprenant à diriger ce flux par la respiration, vous parviendrez à l'harmonie de votre corps, de votre esprit et de vos émotions. Vous pourrez atteindre ce lieu de sérénité et d'immobilité où les décisions se prennent dans le calme et la clairvoyance. Une fois établi le contact avec ce lieu, vous verrez que le stress quotidien est plus facile à gérer. Pratiquer le yoga c'est s'engager à vivre sa vie de manière plus responsable et à jouir pleinement de chaque instant depuis ce lieu de paix et de compréhension.

« L'esprit peut atteindre l'état "yogique" par la pratique assidue et le détachement. » *Yoga-Sutra de Patanjali* (1 : 12)

Laissez contrariétés et soucis, avec vos chaussures, à l'entrée de la pièce où vous faites du yoga.

Si vous avez la chance de pouvoir le faire, pratiquez le yoga en plein air, parmi les arbres ou sur la plage au lever du soleil.

chapitre deux

Préparatifs et

premiers pas

Faites du yoga de préférence pieds nus, dans
un endroit chaud et bien ventilé, et portez
des vêtements amples et confortables.

Ce chapitre est une prise de contact en douceur avec quelques

postures de base essentielles. Chacune d'elles peut être

approfondie. N'oubliez pas l'importance de la concentration et

de la respiration, mais le yoga doit être un plaisir : vous ne devez

jamais forcer ni avoir mal. Évitez de manger pendant les heures

qui précèdent la séance. Certaines personnes aiment utiliser

un tapis spécial, allumer une bougie, faire brûler de l'encens

ou encore écouter de la musique lorsqu'elles pratiquent le yoga.

L'important est de se sentir bien dans son corps et dans son cadre.

Posture de relaxation

Shavasana, posture de l'homme mort

Cette posture de l'homme mort est l'une des *asanas* les plus importantes du yoga. Elle permet de se concentrer au début des exercices ou de se relaxer à la fin de la séance. Vous pouvez aussi l'intercaler entre des *asanas* plus dynamiques pour vous reposer. Ce nom lui a été donné parce qu'elle consiste à rester immobile et à ralentir sa respiration. Elle permet de trouver le calme. Une fois maîtrisée, cette posture peut être utilisée à tout moment pour se relaxer.

Allongez-vous sur le dos, sur une couverture ou sur un tapis. Placez éventuellement une serviette de bain pliée sous votre nuque. Visualisez une ligne imaginaire qui part du sommet de votre tête et passe entre vos pieds, elle partage votre corps en deux moitiés symétriques. Vos mains sont à environ 15 cm de votre tronc, paumes dirigées vers le haut. Vos pieds sont écartés de 30 à 40 cm. Soulevez le bassin et repositionnez-le de manière à étirer la colonne vertébrale. Laissez chaque vertèbre se détendre et s'enfoncer dans le sol. Vérifiez que votre tête n'est pas inclinée sur le côté.

Détendez-vous complètement. Concentrez votre attention sur le bout de votre nez et sentez l'air qui entre et sort par vos narines. Il entre dans votre nez, puis descend dans votre gorge et vos poumons. Imaginez que vous flottez au-dessus de vous et que vous regardez votre propre corps allongé sur le sol. Dirigez l'air vers les zones de tension afin de les éliminer. Puis ramenez votre conscience sur le bout de votre nez. Pensez : « Je sais que je suis en train d'inspirer, je sais que je suis en train d'expirer. »

Si vous avez des problèmes lombaires, rendez cette posture plus confortable en plaçant un oreiller ou un petit coussin sous vos genoux.

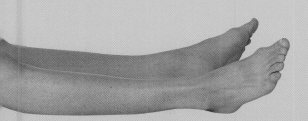

Posture assise

Dandasana, posture du bâton

Dandasana, parfois appelée la « posture du bâton », est la base de plusieurs autres postures assises. Elle paraît d'une facilité déconcertante, mais la réaliser à la perfection demande une observation stricte du détail. Les jambes et le buste sont à angle droit, le thorax est ouvert et les épaules sont bien relâchées. En même temps, la respiration doit être aisée et revitalisante, le visage et les mâchoires sont détendus.

Asseyez-vous, jambes tendues devant vous. Posez les mains sur le côté, paumes ou bout des doigts au contact du sol. En prenant appui sur les mains, décollez le bassin du sol et déplacez légèrement la base de la colonne vertébrale vers l'arrière avant de reposer les fesses. Vous devez avoir l'impression d'être solidement ancré dans le sol. Serrez les genoux et poussez sur les talons, chevilles fléchies, orteils vers le plafond.

   Inspirez en poussant sur le bout des doigts. Étirez la colonne vertébrale vers le haut, soulevez le bas du dos et imaginez que le sommet de votre tête est tenu par un fil. Ouvrez la cage thoracique et tirez les épaules vers le haut et vers l'arrière. Expirez. Laissez les muscles de vos yeux se relâcher, sans rien fixer (ou fermez les yeux). Relâchez les mâchoires, les joues, le front et le crâne. Éliminez les tensions un peu plus à chaque expiration.

   Levez les bras et fermez les poings, pouces à l'intérieur des doigts. Inspirez. Expirez en ouvrant les doigts et en les étirant le plus possible. Reposez les doigts sur le sol ou repliez les bras sur la poitrine et concentrez-vous sur votre respiration.

Apprendre à être assis confortablement est fondamental pour une bonne pratique du yoga.

Posture debout

Tadasana, posture de la montagne

Nous négligeons souvent le potentiel énergétique de nos attitudes habituelles. Se tenir debout en adoptant la posture *tadasana,* ou « posture de la montagne », peut améliorer le tonus. La posture de la montagne aide à éliminer les tensions qui s'accumulent dans notre corps pendant la journée. C'est l'une des *asanas* de base, le point de départ des postures debout, mais aussi de toutes les autres postures.

La montagne suggère l'immobilité, la force et la constance. Ces caractéristiques font partie des éléments fondamentaux de la pratique du yoga.

Mettez-vous debout, pieds parallèles, éventuellement légèrement écartés. Concentrez votre attention sur vos plantes de pieds et sentez le contact avec le sol. Étalez les orteils. Déplacez légèrement votre poids vers l'arrière et vérifiez que vos talons sont bien ancrés dans le sol. Imaginez que de puissantes racines sortent de vos pieds et s'enfoncent dans le sol vous permettant d'en puiser l'énergie et de la faire remonter dans votre corps. Visualisez le flux d'énergie qui remonte le long de vos membres inférieurs à mesure que vous contractez puis relâchez les muscles : d'abord ceux des chevilles, puis des mollets, des genoux (vous devrez peut-être les fléchir légèrement), des cuisses et enfin ceux des hanches.

Inspirez profondément et vérifiez, tout en expirant, que vos membres inférieurs sont détendus. Basculez légèrement le bassin vers l'arrière en contractant les muscles abdominaux. Concentrez votre attention sur le diaphragme et sur les muscles de la poitrine et des épaules. Contractez-les et relâchez-les les uns après les autres. Inspirez profondément et soulevez les épaules. Expirez en laissant les épaules retomber et se relâcher. Imaginez qu'un fil fixé au sommet de votre tête vous tire doucement vers le haut. Inspirez et dites « ha » en laissant l'air s'échapper. Enfin, joignez les mains dans une attitude de prière, et respirez librement.

Respiration

Pranayama

Tout le secret du yoga réside dans l'utilisation de la respiration. La respiration étant un processus automatique, nous n'en sommes, le plus souvent, pas conscients et ne respirons pas à pleine capacité. Les exercices de *Pranayama* visent à concentrer notre attention sur cette respiration et sur la capacité de l'énergie induite à revitaliser notre être. La plupart des mouvements des *asanas* sont liés à l'inspiration et à l'expiration. Essayez de respirer par le nez et de synchroniser votre respiration avec les mouvements de votre corps.

Prana signifie « force vitale » ; *ayama* exprime une « expansion ».

Asseyez-vous en tailleur, mains en appui sur le sol et étirez la colonne vertébrale vers le haut en ouvrant le thorax. Posez les mains sur les genoux.

Placez une main sur le nombril et inspirez lentement et profondément en gonflant le ventre. Expirez lentement en contractant les muscles abdominaux pour expulser le maximum d'air. Recommencez 2 fois.

Placez ensuite les mains sur le bas de la cage thoracique de telle sorte que vos majeurs soient en contact. Inspirez en gonflant le thorax au maximum. Notez la façon dont vos doigts s'écartent (au bout de plusieurs mois de pratique, vous constaterez peut-être une augmentation de votre capacité respiratoire). Recommencez 2 fois.

Croisez les bras et placez le bout des doigts juste en dessous des clavicules. Inspirez en laissant l'air monter aussi haut que possible dans les poumons. Ne contractez ni la nuque ni les mâchoires. Recommencez 2 fois. Maintenant essayez de combiner les 3 exercices : faites gonfler lentement et doucement l'abdomen, la cage thoracique, puis le haut de la poitrine en une seule inspiration ininterrompue. Puis expulsez l'air de votre corps. Recommencez environ 5 fois.

« C'est ainsi, installé dans une asana et le corps maîtrisé, que les exercices de *pranayama* doivent être effectués. » *Hatha Yoga Pradipika* (2 : 1)

Échauffements

Pawanmuktasanas

**Flexion des orteils
et des chevilles**

Flexion des genoux

Flexion des poignets

Rotation des épaules

Ces exercices d'échauffement préparent le corps à des postures plus dynamiques en éliminant les raideurs articulaires et musculaires. Ils permettent de prévenir les affections rhumatismales et sont aussi excellents pour tous ceux auxquels les postures plus fatigantes sont déconseillées.

Vous pouvez pratiquer ces postures à la maison ou au travail, assis sur une chaise ou sur le sol, à votre convenance.

Flexion des orteils et des chevilles Inspirez en tirant les orteils vers vous. Expirez en les tendant à nouveau. Recommencez 5 fois, puis faites la même chose avec le pied.

Flexion des genoux Soulevez la jambe droite et placez les mains derrière le genou. Inspirez et tendez la jambe. Expirez et pliez la jambe. Ne posez pas le talon par terre. Recommencez 5 fois, puis changez de jambe.

Flexion des poignets Bras tendus devant vous, inspirez et tirez les mains vers le haut et vers l'arrière. Expirez en faisant le mouvement inverse. Recommencez 5 fois.

Rotation des épaules Posez les doigts sur les épaules et faites de petits cercles avec les coudes. Agrandissez les cercles et entraînez les épaules dans le mouvement. Inspirez quand les coudes montent et expirez quand ils descendent. Recommencez 5 fois et changez de sens.

États émotionnels, stress et respiration sont liés. Quand on est stressé ou nerveux, la respiration s'accélère et devient haletante ; quand on est détendu, la respiration est lente et profonde.

« La pratique des asanas permet d'accéder à la stabilité du corps et de l'esprit, au détachement face à la maladie et à la légèreté des membres. »

Hatha Yoga Pradipika (1 : 17)

chapitre trois

Activer le flux d'énergie

Les exercices de ce chapitre peuvent être faits séparément, par petits groupes, ou enchaînés au cours d'une séance plus longue.

Les postures présentées sont dans l'ensemble faciles à réaliser (demandez toutefois l'avis d'un médecin si vous avez un problème de santé). Commencez par vous mettre dans un état d'esprit serein et essayez de coordonner respiration et mouvements. Si cela vous semble difficile, concentrez-vous sur les postures et seulement ensuite sur la respiration. En apprenant à adapter votre respiration aux différentes postures, vous augmenterez votre énergie interne et serez ainsi mieux armé pour gérer les situations de stress. Vos exercices de yoga seront en outre plus faciles et plus agréables.

Étirement des bras
tiryaka tadasana

1 Mettez-vous debout, les pieds légèrement écartés et les bras le long du corps. **2** Tendez les bras devant vous. Croisez les doigts, paumes de mains à l'intérieur. Inspirez. **3** Tournez les paumes vers l'extérieur. Expirez. **4** Inspirez en levant lentement les bras au-dessus de la tête, paumes vers le plafond. **5** Étirez-vous vers la droite pour allonger votre côté gauche. Expirez. **6** Inspirez en vous redressant. **7** Étirez-vous vers la gauche pour allonger votre côté droit. Expirez. Inspirez en vous redressant. **8** Expirez en descendant les bras sur les côtés. **9** Restez quelques instants dans la position initiale, puis refaites l'ensemble de la séquence 2 fois.

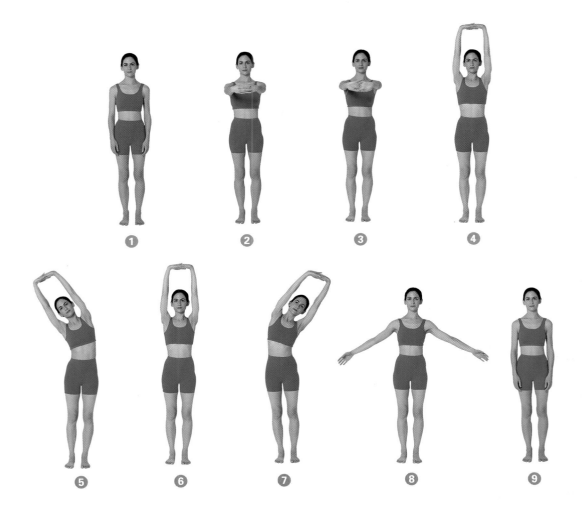

L'étirement vers le haut est énergisant, surtout lorsqu'il est synchronisé avec la respiration. Les étirements sur le côté, peu pratiqués dans la vie quotidienne, entretiennent la souplesse articulaire notamment au niveau des vertèbres.

Pour faire ces étirements des bras, il faut être capable de mobiliser la partie supérieure du corps tout en gardant les pieds bien ancrés sur le sol.

Flexion en avant
utthanasana

1 Placez-vous debout, les pieds légèrement écartés et les mains jointes. **2** Inspirez en levant les mains au-dessus de la tête. Gardez les bras bien tendus et parallèles, les doigts pointés vers le haut. **3** Expirez en repliant les bras au-dessus de la tête. Attrapez vos coudes. Inspirez. **4** Expirez en fléchissant les hanches et les genoux comme pour vous asseoir. **5** Penchez le buste en avant et posez les mains sur le sol. **6** Inspirez et faites glisser vos doigts sur vos pieds, vos chevilles et l'avant de vos jambes. Tendez les genoux et redressez-vous lentement. **7** Expirez en joignant à nouveau les mains. Recommencez une seconde fois en inversant la position des mains sur les coudes.

Cette *asana* rafraîchit et revigore. Sa pratique régulière permet d'augmenter l'énergie vitale et d'améliorer ainsi la résistance à la fatigue. Abordez cette posture en douceur, surtout si vous avez des problèmes lombaires ou si vous êtes hypertendu. Si c'est le cas, demandez l'avis de votre médecin ou d'un thérapeute.

Cet exercice tonifie les muscles du dos et assouplit la colonne vertébrale.

Le chat
marjari-asana

①   **②**   **③**

Cette posture détend la colonne vertébrale et la nuque, améliore la circulation et stimule l'appareil digestif et le liquide céphalorachidien. Elle est recommandée aux femmes qui souffrent de douleurs menstruelles. C'est un bon exercice pour apprendre à coordonner respiration et mouvements.

Quand vous effectuez cette posture, concentrez-vous sur le chakra frontal (*ajna*) quand vous inspirez et sur le chakra sacré (*swadhisthana*) quand vous expirez.

❶ Mettez-vous à quatre pattes, les mains à l'aplomb des épaules et les doigts à plat sur le sol, pointés vers l'avant. Les genoux sont à l'aplomb des hanches, et les cuisses forment un angle droit avec les jambes. ❷ Inspirez en portant progressivement le regard vers le haut, puis en soulevant la tête, le cou et les épaules. Creusez le dos et basculez le bassin en pointant les fesses vers le haut. ❸ Expirez en contractant les muscles abdominaux, basculez le bassin vers l'avant et inclinez la tête vers le bas pour faire le « gros dos » comme un chat. Recommencez 5 fois.

Le chien
adho mukha shvanasana

1 Mettez-vous à quatre pattes, mains à l'écartement des épaules, doigts pointés vers l'avant. Inspirez et expirez plusieurs fois, puis repliez les orteils sous les pieds. **2** Inspirez en décollant les genoux du sol : imaginez que vous êtes tiré vers le haut par le bas du dos. Gardez les genoux légèrement fléchis et rapprochez la poitrine des cuisses. **3** Expirez en poussant sur les talons, comme si vous vouliez les enfoncer dans le sol. Tendez les genoux et pointez les fesses vers le haut. Relâchez les muscles de la nuque et des épaules. Ne bloquez pas votre respiration. Maintenez la posture aussi longtemps qu'elle reste confortable et que vous vous sentez stable.

La posture du chien fortifie les muscles des bras et des jambes. Elle stimule également
la circulation sanguine et l'influx nerveux dans le haut du dos et les épaules. Dans cette posture,
concentrez votre attention sur le chakra laryngé (*vishuddhi*).

Pour certains professeurs de yoga, la posture du chien peut être considérée comme une posture de méditation !

L'enfant
supta shashankasana

1 Mettez-vous à quatre pattes. **2** Glissez vers l'arrière pour vous asseoir sur les talons et gardez les bras tendus dans le prolongement du corps. Posez le front sur le sol. Étirez-vous et laissez votre colonne vertébrale s'allonger. Étirez-vous un peu plus à chaque expiration. **3** Fermez les poings, superposez-les et ramenez-les sous votre front. **4** Asseyez-vous sur les talons, mains sur les genoux. **5** Inspirez en levant les bras que vous tendez au-dessus de votre tête, paumes tournées vers l'intérieur. Expirez en descendant les bras. **6** Inclinez-vous vers l'avant pour poser le front sur le sol et allongez les bras sur le côté, mains près des pieds.

Cet exercice détend les ligaments qui unissent les vertèbres et étire les muscles du dos. La posture finale libère les disques intervertébraux comprimés en position debout. C'est une posture particulièrement relaxante.

Si vous avez du mal à vous asseoir sur les talons, mettez un petit coussin sous les fesses.
Vous pouvez aussi en mettre un sous les pieds.

# Extension de jambe
ardha shalabhasana

❶ Allongez-vous à plat ventre, croisez les bras et posez la tête tournée sur le côté sur vos avant-bras. Observez votre respiration, elle doit être naturelle. ❷ Allongez les bras le long du corps, paumes tournées vers le haut. Le front repose sur le sol. ❸ Inspirez et soulevez la jambe gauche à partir de la hanche, genou tendu. Expirez en baissant la jambe. Recommencez 5 fois. ❹ Effectuez l'étape 3 avec la jambe droite. ❺ En prenant appui sur vos bras, soulevez les deux jambes en même temps. Recommencez 5 fois. Revenez à la position de départ et reposez-vous, tête tournée de l'autre côté.

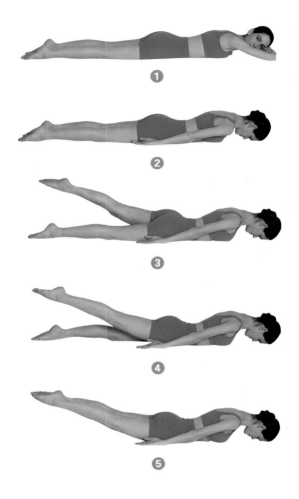

Cette posture est conseillée aux débutants, car elle stimule les nerfs et renforce les muscles du bas du dos.
Parvenir à synchroniser respiration et mouvement aide à améliorer la concentration. Pendant l'exercice,
concentrez-vous sur le chakra sacré (*Swadhisthana*).

Ne tentez pas de lever les deux jambes en même temps tant que vous ne le ferez pas facilement avec une seule jambe !

Le cobra
bhujangasana

1 Allongez-vous à plat ventre, jambes tendues et pieds joints. Croisez les bras et posez la tête inclinée sur le côté sur vos avant-bras. Relâchez les muscles des jambes. **2** En tirant les coudes en arrière, amenez les mains au niveau des épaules, les doigts pointés vers l'avant. Coudes près du corps, posez le front sur le sol. Relâchez l'ensemble de votre corps, mais plus particulièrement la région lombaire. **3** Inspirez en levant lentement la tête et le cou et en décollant les épaules du sol (le bassin doit rester plaqué au sol). Expirez et revenez lentement à la position de départ, mais la tête tournée de l'autre côté. Recommencez cet exercice au moins 5 fois.

La posture du cobra renforce les muscles abdominaux et lombaires. Elle soulage les douleurs lombaires, a un effet bénéfique sur les organes génitaux et facilite la digestion. C'est aussi un exercice qui stimule la circulation d'énergie entre le chakra racine (*muladhara*) et le chakra frontal (*ajna*).

Les personnes souffrant d'ulcères, de hernies ou de troubles intestinaux ne doivent pas pratiquer cette *asana* seules.

La foudre
vajrasana

① ② ③ ④

La position assise sur les talons est une excellente posture de méditation pour les personnes qui n'arrivent pas à s'asseoir en tailleur (y compris celles qui souffrent de sciatique). Elle stimule en outre l'énergie vitale, le *prana*.

Si vous avez une mauvaise circulation veineuse, placez un coussin entre vos talons et vos fesses pour limiter la pression quand vous vous asseyez sur vos talons. Vous pouvez aussi placer un coussin sous vos pieds.

1 Asseyez-vous sur les talons. Les cous-de-pied sont en contact avec le sol, gros orteils et bords internes des pieds joints. Posez les mains sur les genoux. Veillez à ce que votre dos soit bien droit. **2** En inspirant, passez de la position assise à la position à genoux. Expirez ensuite. **3** En inspirant, arrondissez les bras devant vous, puis tendez-les au-dessus de la tête, les paumes tournées vers l'intérieur. En expirant, baissez les bras en les arrondissant. **4** Inspirez. Asseyez-vous sur les talons en expirant. Recommencez 5 fois l'ensemble de la séquence.

Le papillon
poorna titali

① ② ③

Voici une excellente préparation à la posture du lotus et à la méditation. Cette posture détend les muscles de l'intérieur de la cuisse. Elle est recommandée à toute personne qui passe beaucoup de temps assise ou debout.

On dit que les battements d'ailes d'un papillon peuvent provoquer un cyclone à l'autre extrémité de la planète. Alors, pratiquez en douceur !

46

1 Asseyez-vous sur le sol, jambe gauche tendue devant vous. Posez le pied droit sur la cuisse gauche et prenez les orteils dans la main gauche. Enveloppez le genou droit avec la main droite. Inspirez et expirez en soulevant et en abaissant le genou plusieurs fois. Changez de jambe et recommencez. **2** Pliez les deux jambes et appuyez les plantes de pieds l'une contre l'autre. Croisez les mains sur les orteils. Faites glisser vos talons vers vous. Redressez la colonne vertébrale et inspirez. Expirez en pressant les genoux vers le sol. Concentrez-vous sur la respiration et essayez de vous détendre en maintenant la posture. **3** Pliez les coudes et inclinez le buste vers l'avant. Inspirez. Redressez-vous.

Torsion du buste
sukhasana matsyendrasana

1 Asseyez-vous en tailleur, dos droit et mains sur les genoux. **2** Inspirez en levant les bras sur le côté. **3** Posez la main droite sur le genou gauche. Expirez. Faites une rotation du bras gauche pour tourner la paume vers l'arrière. **4** Posez le bras gauche derrière vous, la paume de la main ou le bout des doigts sur le sol. Gardez le dos bien droit. **5** Expirez en faisant progressivement pivoter le buste vers la gauche et en concentrant votre attention sur l'énergie qui monte le long de la colonne vertébrale. Regardez par-dessus votre épaule gauche. Inspirez et expirez. Relâchez lentement la posture en expirant. Revenez à la position de départ et effectuez la torsion sur la droite.

Les torsions sont excellentes pour éliminer les tensions siégeant au niveau de la colonne vertébrale, elles favorisent l'alimentation en énergie des nerfs spinaux. Elles ouvrent le chakra cardiaque (*anahata*) et augmentent l'arrivée d'air dans les poumons. Elles ont également une influence bienfaisante sur les muscles abdominaux.

Vous pouvez améliorer le confort de cette posture en plaçant une couverture pliée ou un coussin ferme sous vos fesses. Veillez à ne pas trop vous étirer et à ne pas forcer sur la torsion au-delà de ce que vous permet votre souplesse naturelle.

La demi-lune
ardha chandrasana

❶ Debout, pieds légèrement écartés, inspirez et levez les bras au-dessus de la tête. Attrapez vos coudes. **❷** Expirez et inclinez le buste en avant en fléchissant légèrement les genoux. **❸** Posez les mains sur le sol. Tendez la jambe droite en arrière et posez les orteils sur le sol. **❹** Posez le genou droit à terre et dépliez les orteils. Expirez. **❺** Tendez les bras vers l'avant, puis au-dessus de la tête, paumes de mains tournées vers l'intérieur. Inspirez. Penchez le buste en avant en vous concentrant sur votre respiration. **❻** Posez les mains sur le sol et tendez les deux jambes. Expirez. **❼** Avancez la jambe droite et redressez-vous. Recommencez en inversant la position des jambes.

La posture de la demi-lune ouvre l'avant de la cage thoracique et augmente la capacité pulmonaire. Elle fortifie l'ensemble du squelette et, comme elle agit sur la poitrine et le cou, elle soulage les affections respiratoires, y compris les maux de gorge, la toux et les rhumes. C'est une posture vivifiante, s'il en est !

Concentrez-vous sur le chakra sacré (*swadhisthana*) ainsi que sur le contrôle des mouvements et le maintien de l'équilibre.

L'archer

akarana dhanurasana

1 Mettez-vous debout, pieds à l'écartement du bassin. **2** Faites un pas en avant avec le pied gauche et tournez le pied droit vers l'intérieur, de telle sorte qu'il soit aligné sur le talon gauche. **3** Faites pivoter le bassin et le buste vers la droite. Tendez latéralement les bras à la hauteur des épaules. **4** Vérifiez l'horizontalité de vos bras et tendez les doigts. **5** Pliez le bras droit sur la poitrine, en gardant le coude au même niveau que l'épaule, comme si vous teniez la corde d'un arc. Fixez du regard l'extrémité de votre bras gauche. Respirez et maintenez la posture tant que vous pouvez rester immobile. Recommencez en changeant de côté.

Cette posture agit sur les muscles de la nuque et des épaules. Pour accentuer son effet relaxant, essayez de faire glisser le bras plié vers l'avant en expirant et de le ramener en arrière en inspirant.

Krishna conseilla au guerrier Arjuna d'apprendre la sagesse de l'adresse en action : «Je veux dire l'équilibre parfait, une équanimité, une sérénité et une paix de l'âme inébranlables.» *Bhagavad-gita* (2 : 50)

 # Le pont
kandharasana

1 Allongez-vous sur le dos, les bras le long du corps et les paumes de mains tournées vers le bas. Rapprochez le menton de la gorge pour étirer la nuque. **2** Pliez les genoux et posez les pieds à plat sur le sol (d'abord le pied gauche, puis le droit). Les pieds et les genoux doivent être à l'écartement du bassin, et les pieds parallèles. **3** En prenant appui sur les mains et en inspirant, décollez le bassin du sol. Maintenez la posture. Respirez. Soulevez le bassin un peu plus haut à chaque inspiration. **4** Expirez et reposez le bassin sur le sol. Allongez les jambes et reposez-vous dans la position de départ. Recommencez 5 fois.

Cette posture masse les organes génitaux, améliore la digestion et soulage les douleurs menstruelles. Elle permet aussi de redresser la colonne vertébrale et de soulager les douleurs dorsales. Les personnes qui souffrent d'ulcères ou de hernies et les femmes en fin de grossesse ne doivent pas pratiquer cette posture sans avis médical.

Dans cette posture, concentrez-vous sur le chakra cardiaque (*anahata*) ou le chakra laryngé (*vishuddhi*).

Le plan incliné
setu asana

1 Asseyez-vous sur le sol, jambes tendues, dos droit et mains sur le côté, derrière les hanches. **2** Inspirez et gonflez la poitrine en creusant légèrement le dos. Expirez, redressez-vous. **3** Reculez un peu les mains de telle sorte que votre buste fasse un angle de 45° avec le sol. Gardez les bras tendus. **4** Inspirez, tirez les épaules vers l'arrière, gonflez le thorax et décollez le bassin du sol. Tendez les orteils, relâchez la nuque et regardez vers le haut. Respirez. Essayez de soulever le bassin un peu plus haut à chaque inspiration. **5** Expirez et reposez le bassin sur le sol. **6** Allongez-vous, jambes fléchies et bras légèrement écartés sur le côté. Détendez-vous.

La posture de la planche renforce les bras, les jambes et la région lombaire. C'est une posture antagoniste des flexions vers l'avant. Mais évitez-la si vous souffrez d'hypertension, de troubles cardiaques ou d'un ulcère à l'estomac. Dans cette posture, concentrez votre attention sur le chakra solaire (*manipura*).

Dès que la posture vous paraît facile, essayez de lever le bassin plus haut. Tentez également de tourner les mains vers l'arrière, voire de décoller du sol une main ou une jambe. Progressez en vous amusant !

La demi-chandelle

vipareeta karani

1 Allongez-vous sur le dos, bras le long du corps et paumes de mains tournées vers le bas. **2** Pliez les genoux et faites glisser les pieds vers les fesses. **3** Poussez sur les mains et contractez les abdominaux pour lever les genoux. **4** Levez les jambes et le bassin. Soutenez le bas du dos avec les mains. Les jambes font un angle de 45° avec le sol, les pieds sont détendus et les coudes rapprochés. Maintenez la posture et respirez. **5** Ramenez les genoux sur la poitrine, posez les mains, et déroulez lentement la colonne vertébrale, une vertèbre après l'autre. **6** Restez allongé, pieds écartés, et bras sur le côté, paumes vers le haut. Détendez-vous et respirez.

Cette posture stimule la glande thyroïde, soulage les maux de tête et aide à apaiser les troubles mentaux et émotionnels. Elle n'est pas recommandée si vous souffrez d'hypertension, de troubles circulatoires oculaires ou de troubles cardiaques. Elle est également déconseillée pendant les règles et à la fin de la grossesse.

« L'équilibre mental vient aussi de la sérénité. » *Yoga-Sutra de Patanjali* (1 : 36)

Le poisson
matsyasana

1 Asseyez-vous sur le sol, jambes tendues, dos droit et mains derrière les fesses. **2** Expirez en descendant le buste vers l'arrière et en vous appuyant sur les avant-bras. **3** Allongez les bras le long du corps. Gonflez le thorax et posez l'arrière de la tête sur le sol. Gardez le thorax bombé. Respirez en maintenant la posture tant qu'elle reste confortable. **4** Glissez ensuite les mains sous la colonne lombaire et prenez appui sur les mains et les coudes. Relevez la tête. **5** Allongez-vous. Croisez les doigts et placez-les sous la tête. Amenez les genoux sur la poitrine. Croisez les chevilles et ouvrez les genoux. Détendez-vous complètement et concentrez-vous sur la respiration.

Cette posture ouvre la cage thoracique et le cou. Elle soulage les affections abdominales et respiratoires, y compris les rhumes et la grippe. Elle est en outre très énergisante. Soyez vigilant au début et à la fin de la posture et évitez-la si vous souffrez de troubles cardiaques sérieux.

Dans cette posture, concentrez votre attention sur le chakra cardiaque (*anahata*) à l'étape 3 et sur le chakra solaire (*manipura*) pendant la phase de relaxation finale.

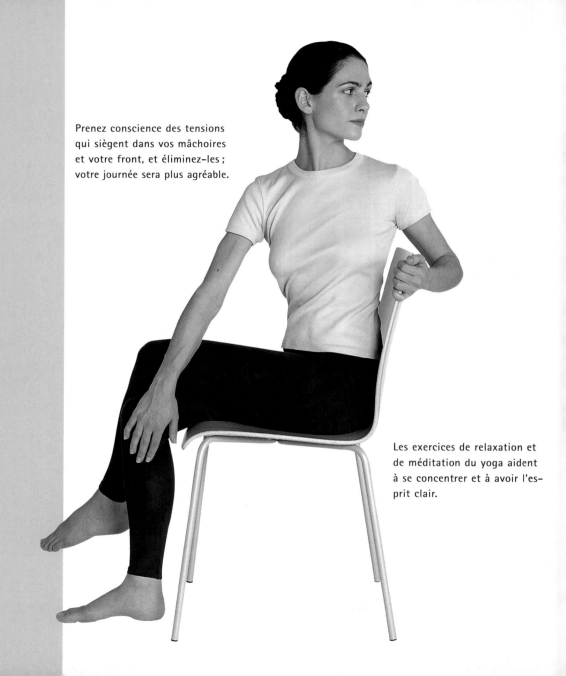

Prenez conscience des tensions qui siègent dans vos mâchoires et votre front, et éliminez-les ; votre journée sera plus agréable.

Les exercices de relaxation et de méditation du yoga aident à se concentrer et à avoir l'esprit clair.

chapitre quatre

Le yoga
au quotidien

Une fois intégré dans notre vie quotidienne, le yoga est une discipline aux effets profondément bénéfiques.

Les postures présentées dans ce chapitre ont été aménagées pour être pratiquées à la maison ou au travail. Elles sont réalisables sans préparation particulière, amélioreront vos niveaux d'énergie et rendront le cours de vos journées plus fluide. Elles vous aideront aussi à vous débarrasser de la fatigue, des tensions et du stress.

Notre vie consciente est souvent dominée par le bavardage mental ou les pensées incontrôlées. En nous attachant à sentir notre respiration, nous pouvons apprendre à calmer ce discours intérieur et à aborder les situations avec davantage de sérénité.

Étirement du matin

du tonus pour la journée

1 Mettez-vous debout, mains jointes. **2** Inspirez en arrondissant les bras au-dessus de la tête, pliez les bras et attrapez les coudes. Expirez en penchant le buste en avant à partir des hanches. Étirez la colonne vertébrale. **3** Posez les mains par terre. **4** Faites un pas en arrière (le pied droit, puis le gauche). Pointez les fesses vers le haut, talons bien au sol. **5** Expirez en vous mettant à genoux. Inspirez, levez la tête, et basculez le bassin pour creuser le dos. **6** Expirez en rentrant le ventre, baissez la tête et regardez en bas. Répétez 2 fois les étapes 5 et 6. **7** Asseyez-vous sur les talons et, en poussant sur les bras, étirez-vous de la pointe des doigts jusqu'au sacrum. **8** Redressez-vous en position assise. Posez les mains sur les genoux. Concentrez-vous sur la respiration.

Consacrez au moins 10 à 15 minutes à cet exercice – il vous donnera du tonus, équilibrera votre énergie et vous préparera à affronter la journée qui commence.

À la fin de cet exercice, fermez les yeux et prenez une résolution pour la journée. Ouvrez les yeux et souriez.

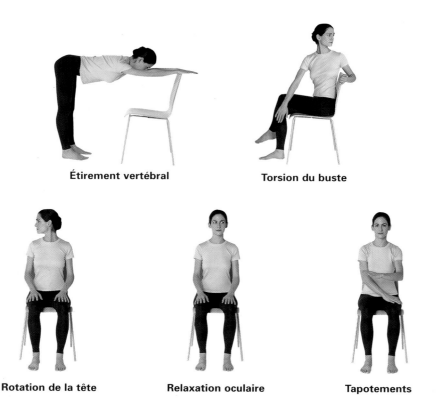

Le yoga au travail

5 exercices courts et énergisants

Étirement vertébral

Torsion du buste

Rotation de la tête

Relaxation oculaire

Tapotements

Ces exercices extrêmement simples seront d'une aide précieuse chaque fois que vous sentirez votre énergie faiblir, que ce soit au travail ou à la maison.

Ces postures seront encore plus efficaces si vous vous concentrez sur votre respiration et si vous videz votre esprit.

Étirement vertébral Debout, penchez-vous en avant et posez les mains sur le dossier d'une chaise, de telle sorte que jambes et buste fassent un angle de 90°. Étirez-vous.

Torsion du buste Assis bien droit, jambe gauche sur la droite, mettez la main droite sur le genou gauche et la main gauche sur le dossier. Étirez-vous vers le haut et tournez le buste vers la gauche. Changez de côté.

Rotation de la tête Debout ou assis, expirez en tournant la tête à droite. Inspirez, en revenant au centre. Expirez, tournez la tête à gauche. Continuez pendant 2 minutes.

Relaxation oculaire Suivez les aiguilles d'une pendule imaginaire dans le sens des aiguilles d'une montre, puis dans le sens inverse. Recommencez plusieurs fois.

Tapotements Croisez les bras et tapotez alternativement chaque genou avec la main opposée. Respirez en cadence.

Exercices du soir

se recentrer en fin de journée

Le soir, prenez le temps de vous détendre et d'évacuer les événements de la journée. Essayez de faire ces exercices de méditation en « toute conscience » : observez vos pensées, mais ne les laissez pas vous envahir. Au lieu de juger la qualité de votre technique, pensez simplement : « Je suis en train de faire du yoga. » Commencez par vous asseoir confortablement, le dos bien droit.

Le bourdonnement de l'abeille Fermez les yeux et détendez-vous. Bouchez-vous les oreilles avec les index. Imaginez qu'une abeille bourdonne à l'intérieur de votre tête. Inspirez et reproduisez le bourdonnement monocorde de l'abeille. Recommencez 5 fois. Cet exercice favorise la méditation et lutte contre le stress et l'insomnie.

Respiration nasale alternée Fermez la narine droite avec le pouce et inspirez par la narine gauche. Fermez la narine gauche avec le petit doigt, relâchez la narine droite et expirez. Inspirez par la narine droite, puis fermez-la avec le pouce. Relâchez la narine gauche et expirez. Recommencez plusieurs fois.

Chakras et couleurs Imaginez que vous amenez jusqu'à votre chakra racine de l'énergie rouge, issue de la terre. Visualisez les changements de couleur (rouge, orange, jaune, vert, bleu et violet) à mesure que l'énergie monte dans les chakras correspondants. Au niveau du chakra coronal, l'énergie devient blanche et vous enveloppe.

Relaxation au coucher

Cet exercice très efficace vous aidera à vous débarrasser des tensions physiques et des troubles émotionnels tout en améliorant votre mémoire et votre capacité de concentration. Fixer la flamme d'une bougie contribue à rééquilibrer le système nerveux, à éliminer le stress et l'insomnie et à favoriser le sommeil.

« Celui qui est capable de contrôler son esprit et d'agir en restant détaché est capable du meilleur. » *Bhagavad-gita* (3 : 7)

Allumez une bougie et votre encens préféré. Passez quelques minutes à penser aux événements de la journée, puis détachez-vous de ces pensées. Engagez-vous à vous concentrer sur la pratique de la relaxation et de la méditation pendant les 15 à 20 minutes qui suivent. Asseyez-vous dans une position confortable, le dos bien droit. Regardez la flamme quelques minutes. Fermez les yeux et gardez cette image à l'esprit. Dès qu'elle disparaît, ouvrez les yeux et regardez la flamme à nouveau. Recommencez plusieurs fois.

Restez assis ou allongez-vous dans la posture de relaxation de l'homme mort *shavasana* (voir p. 17-18), ne vous endormez pas ! Consacrez quelques minutes à l'exercice de respiration yogique (voir p. 24-25) ou de respiration nasale alternée (voir p. 69), puis passez votre corps en revue. Inspirez en dirigeant l'air vers les zones de tension et expirez en les éliminant.

Maintenant, visualisez en esprit la flamme de la bougie. Imaginez-la petite, puis laissez-la grandir et briller de plus en plus à mesure que vous la regardez, dépassant votre corps, vous apportant la paix, l'amour, la vie et la compassion. Laissez la flamme emplir votre espace intérieur, puis laissez-la se concentrer sur le chakra cardiaque (*anahata*).

Laissez cette image s'estomper et sentez votre respiration à l'extrémité de votre nez. Prenez progressivement conscience de votre corps, en commençant par les doigts et les orteils. Quand vous êtes prêt, ouvrez doucement les yeux.

Index